Meditando com os Anjos

Meditando com os Anjos

Texto: SÔNIA CAFÉ
Ilustrações: NEIDE INNECCO

Editora
Pensamento
SÃO PAULO

1ª edição 1991.
47ª reimpressão 2024.

Direitos reservados
EDITORA PENSAMENTO-CULTRIX LTDA.
Rua Dr. Mário Vicente, 368 – 04270-000 – São Paulo, SP
Fone: (11) 2066-9000
http://www.editorapensamento.com.br
E-mail: atendimento@editorapensamento.com.br
Foi feito o depósito legal.

Este pequeno livro é uma demonstração de profunda gratidão e reconhecimento aos Anjos de Deus, sem os quais a "experiência de Ser" não seria possível aos homens e mulheres deste Planeta.

"Não estamos interessados em abrir mentes. As mentes sempre seguiram o fervor do coração. Estamos interessados em abrir corações."

Os Anjos, através de Ken Carey, em *ESTRELA-SEMENTE – A Vida no Terceiro Milênio* (Editora Pensamento, São Paulo, 1991).

COMO USAR ESTE LIVRO

O propósito deste pequeno livro é inspirá-lo a contatar-se com o Reino Angélico, convidando os Anjos a participar da sua vida. Aqui eles estão representados por palavras-chaves ou qualidades que poderão ser uma fonte de inspiração quando você estiver diante de uma indagação, da necessidade de esclarecer algum fato, ação ou situação em sua vida, ou simplesmente quando quiser meditar sobre uma determinada qualidade que você gostaria de ver manifestada no seu próprio ser.

Primeiro, faça um instante de silêncio e em seguida formule sua indagação ou visualize claramente uma situação que pede o seu cuidado neste momento. Faça uma nova pausa silenciosa, desta vez tornando-se receptivo e permitindo que o seu subconsciente se alinhe com a sua Alma. Peça que um Anjo venha em seu auxílio e lhe traga a inspiração ou esclarecimento de que necessita.

Ao abrir o livro, você encontrará o *desenho* representando um Anjo e a qualidade que ele lhe traz, junto com um *texto para reflexão* e uma *afirmação*. A presença do Anjo com a sua palavra-chave poderá ser suficiente para expandir a sua compreensão. O pequeno texto para reflexão poderá levá-lo a perceber novos ângulos da situação que o preocupa no momento. A afirmação, com pensamentos e idéias positivas, quando repetida, poderá se transformar num apoio e reforço efetivo na manifestação de atitudes e qualidades na sua vida.

Tudo o que necessitamos saber já está dentro de nós. Este livro pode se transformar num instrumento de apoio no processo de contatar a nossa mais íntima Essência, tendo os Anjos como parceiros e mensageiros da orientação que vem da Alma.

OS ANJOS

Os Anjos são seres que vivem na presença de Deus. Quando presentes na nossa consciência humana, eles nos inspiram a contatar a essência de tudo que existe e a não esquecer nossa origem espiritual. A presença angélica nos ajuda a tornar claro o propósito de nossas vidas.

Por estarem em dimensões que não estão associadas a processos biológicos, os Anjos se aproximam da nossa dimensão material como forças de estabilização, como raios de luminosa tranqüilidade que irradiam paz e segurança e nos vitalizam com energias renovadas de amor eterno.

Neste momento do planeta, os Anjos regressam para nos ajudar a dissolver os conceitos cristalizados que nos impediram de entrar em contato com a fonte de sabedoria perene e inerente ao nosso ser. Hoje, a sua tarefa mais importante é mudar o curso dos interesses humanos, que ainda seguem as orientações do pensamento e ação centrados no medo, para uma atividade e pensamento totalmente centrados no amor. E esse amor estará sendo canalizado através de todo ser humano cuja consciência esteja aberta para viver com os Anjos uma parceria interior que se tornará cada vez mais natural e sincrônica.

Os Anjos se comunicam diretamente com os nossos corações e com a capacidade que temos de estar eternizados no presente de cada momento de nossas vidas.

O ANJO DA PACIÊNCIA

Com a qualidade da paciência, saberemos seguir o fluxo da energia passo a passo, em direção ao sucesso de nossas realizações. Se manifestamos uma paciência amorosa, sem esperar que as coisas aconteçam rapidamente, estaremos conscientes de que tudo o que fazemos tem um valor real. A Natureza nos dá o grande exemplo de amorosa paciência através dos maravilhosos tesouros que cria.

Minha paciência opera milagres na minha vida.

O ANJO DO PODER

O poder da Alma se revela na personalidade como propósito claro e capacidade de decidir pelo bem de todos os envolvidos numa determinada situação. O poder que vem dessa dimensão anímica jamais seria um poder exercido sobre alguma coisa ou sobre alguém, mas um poder exercido *com* alguém, ou seja, a partilha das bênçãos espirituais que emergem quando nos sintonizamos com o propósito de Deus para a nossa vida.

Poder Infinito, revigora-me!
No meu ser real sou forte,
feliz e sereno.

O ANJO DA EXPECTATIVA

O que você quer ver nascer a partir de si mesmo? A essência da expectativa é saber esperar por aquilo que sabemos já está semeado dentro de nós, como uma mulher grávida que sabiamente espera até que esteja pronta a criança que vai nascer. Enquanto isso, a mãe a espera nutrindo e cuidando para que seja bem recebida.

Estou sempre esperando o melhor
de mim mesmo.

O ANJO DA EDUCAÇÃO

O verdadeiro conhecimento chega até nós quando nos sintonizamos com a nossa Alma. Tudo o que recebemos do mundo exterior é apenas informação de segunda mão e não o conhecimento direto que podemos contatar quando percebemos que ele já está dentro de nós mesmos. Educar é permitir que a sabedoria latente da Alma se manifeste em todos os seres, ensinando-lhes a viver.

Estou disponível e aberto à
educação que vem da minha
Alma.

O ANJO DA TRANSFORMAÇÃO

A transformação é um processo misterioso que inclui em si muitas mudanças: a lagarta que se transforma em borboleta, o creme em manteiga, o chumbo em ouro. De um nível para o outro uma alquimia interior se processa e, num instante inesperado, somos borboleta, manteiga ou ouro transformados numa nova dimensão. A transformação acontece naturalmente à medida que nos entregamos ao fluxo da energia divina que tudo permeia e vivifica.

Estou consciente da energia divina
que move o meu ser e me
transforma no que Sou.

O ANJO DA CLAREZA

Quanto mais simples se torna a nossa vida, mais nos voltamos para a luz interior que surge para orientar corretamente a nossa ação. Isso é clareza, uma espécie de conhecimento interior que nos conduz com facilidade e leveza ao que é correto.

A clareza de minha Alma flui
através de mim quando penso,
sinto e atuo no mundo.

O ANJO DA LIBERDADE

Uma imensa liberdade é sentida quando soltamos a tensão gerada pelos centros inferiores de consciência, ou seja, o apego ao poder, ao dinheiro e às sensações, e simplesmente permitimos que as energias da Alma se manifestem em nossa vida. A liberdade de sermos pró-ativos, positivos, faz com que aceitemos amorosamente as pessoas e situações como elas são, aqui e agora, sem os efeitos colaterais de reações negativas, re-ativas.

A Energia Amorosa de minha
Alma flui através do meu ser.
Sou livre!

O ANJO DA ESPONTANEIDADE

Quando nos libertamos de crenças e valores limitantes, a energia flui em nós naturalmente. Sem as inibições que aprisionam a nossa mente e o nosso coração, desenvolvemos a capacidade de sintonizar com a essência que está dentro das pessoas e das coisas, fazendo assim desaparecer o medo e as emoções que nos impedem de ser espontâneos. A precisão da espontaneidade é algo presente em toda a Natureza e flui como uma dádiva do Amor.

Escolho ser espontâneo em minhas interações com a vida.

O ANJO DA ORDEM

A consciência da ordem está presente em todos os níveis da criação. Nada existiria se os processos de ordem e ritual fossem esquecidos. O sol, a lua, as estrelas e toda a Natureza respondem com ordem e beleza ao Criador. Quando há ordem, as energias superiores fluem sem impedimentos, o que nos dá uma grande liberdade, pois não precisamos nos preocupar com o que fazer em seguida.

Minha vida exterior reflete a
minha ordem interior.

O ANJO DA POSITIVIDADE

Essa positividade não se contrapõe à negatividade; simplesmente a transforma e possibilita que tenhamos uma visão clara e uma ação correta. Ser positivo é saber que a energia age de acordo com o que pensamos ou sentimos. Se escolhemos o caminho de criar, aqui e agora, a realidade mais apropriada e bela, a energia responderá. A luz da positividade passa pela menor fresta da nossa consciência e se apressa em revelar um caminho para o bem do todo.

Minha mente está plena de
pensamentos positivos que nutrem
e curam a minha vida.

O ANJO DA ALEGRIA

Os Anjos voam porque não se deixam puxar pelo peso de uma sisudez auto-imposta. A alegria é leve, luminosa; vem sem criar apego ou divisão. Sejamos a alegria enquanto ela passa e nos tornaremos alados como os Anjos.

Sinto a radiância da alegria
permeando todo o meu ser.
Sinto a alegria de ser quem sou,
aqui e agora.

O ANJO DA FLEXIBILIDADE

É preciso estar centrado na própria Alma e receber a inspiração que nos ajuda a não enrijecer ou cristalizar em relação aos nossos pensamentos, conceitos, padrões de hábitos ou condicionamentos. Se somos capazes de seguir com flexibilidade o fluxo da energia nos assuntos da nossa vida, criamos uma abertura para o Espírito que vem em nossa ajuda e torna leve o nosso fardo.

Estou pronta para as surpresas da vida.

O ANJO DA CONFIANÇA

Quando confiamos no nosso potencial interior, jamais desperdiçamos energia. Sentimos confiança quando somos motivados pela verdade mais profunda em nós e não por aquilo que é a expectativa dos outros a nosso respeito. Quanto mais permitimos que a luz da Alma flua pelo nosso ser, tanto mais sólidas serão as bases de confiança que nos apoiarão nas ações do dia-a-dia.

A luz do Espírito é a minha sólida base de confiança.

O ANJO DA SAÚDE

A fonte da verdadeira saúde é a divindade interior que a todo instante procura nos aproximar do padrão perfeito do tecido cósmico de cuja intricada beleza somos parte. A energia amorosa que nutre o nosso ser está sempre disponível para curar qualquer desvio ou esquecimento que resultem em mal-estar ou doença. Visualize agora qualquer área do seu corpo ou da sua vida que necessite ser curada sendo envolvida na luz transformadora do amor que cura.

Todo o meu ser é sadio e pleno de energia amorosa.

O ANJO DA ENTREGA

Quando nos entregamos à orientação da nossa Alma, percebemos o panorama maior da nossa vida e a ajuda que recebemos para nos livrar dos pesos do passado e de energias negativas que nos impedem de ver a beleza e a força interior de que dispomos. Quando nos entregamos conscientemente à nossa Alma, todas as outras entregas se tornam mais simples e mais fáceis de serem vividas.

Entrego-me ao Amor de Deus em meu coração.

O ANJO DO ENTUSIASMO

O entusiasmo é a inspiração que vem de Deus. É a certeza de que jamais encontraremos alguém que seja desinteressante, de que nunca viveremos momentos de tédio. Quando nos permitimos realmente viver essa certeza, descobrimos a tremenda energia que está à nossa disposição e que nos apóia em todas as circunstâncias da vida.

O meu ser está radiante de
entusiasmo.

O ANJO DO NASCIMENTO

Quando um ciclo se completa, está na hora de nascer. O nascimento é o momento de transição que antecede uma grande revelação. Tudo o que nasce é pleno de frescor, novidade e inocência. Nada é mais importante do que o nascimento do AMOR em nossos corações.

Estou nascendo a cada momento
para o novo em minha vida.

O ANJO DA INTEGRIDADE

A dança das polaridades é uma constante em nossas vidas: dar e receber, rir e chorar, *ser e não ser*, positivo e negativo; desse modo, cada um carrega dentro de si um espectro colorido de energias. Aceitar e expressar todos esses aspectos é viver a integridade consciente de que somos canais para a expressão viva de nosso Espírito.

Na integridade do meu ser experimento e expresso a dança da vida.

O ANJO DA PERFEIÇÃO

É perfeito aquilo que é completo, inteiro. A pomba branca não precisa banhar-se para tornar-se branca, nem a flor do campo implorar para possuir fragrância. Quanto mais natural e espontâneo o gesto, mais próximo está ele da perfeição. Uma ênfase excessiva em ser perfeito afasta a possibilidade que temos, a todo instante, de sermos canais para a perfeição do Ser que realmente somos.

No meu Eu Real a vida é eterna, a sabedoria é infinita, o amor é abundante e a beleza é perfeição.

O ANJO DA BÊNÇÃO

A bênção de ser consciente, de estar aberto, é a nossa maior dádiva; é algo que jamais se restringe a uma só pessoa. Quando somos abençoados, tudo a nossa volta participa conosco desse momento. Abençoe e torne sagrado tudo o que você é nesse instante.

Sou um ser abençoado de muitas maneiras e abençôo tudo o que tenho.

O ANJO DA PARCERIA

Quando há parceria não existe dominação. As partes envolvidas em uma mesma situação comungam suas habilidades e talentos para criar uma meta compartilhada. Caminhar juntos em direção a essa meta, conscientes do processo que isso implica, é a verdadeira parceria, na qual os opostos descobrem que são absolutamente complementares.

Cada ser que encontro é meu parceiro aqui e agora.

O ANJO DA SABEDORIA

Tudo o que existe flui da Fonte da Sabedoria Divina. A sabedoria surge no coração que se abriu para compreender e transformar apegos e dúvidas na certeza de que podemos ter e saber tudo o que necessitamos quando nos conectamos com a Alma. É possível ter muito conhecimento e não ter sabedoria; a sabedoria é uma qualidade pura do Espírito que se manifesta em nossa vida inspirando a ação amorosa e proporcionando abundância a cada momento.

Através da minha conexão com a Sabedoria Infinita, tudo se torna possível.

O ANJO DA TERNURA

. . .a ternura da brisa sobre a relva, a ternura de um botão que se abre em flor, a mão que encontra o gesto perfeito, o toque que cura, o olhar de pura compreensão, sem pedir nada em troca. Em nossas vidas, a ternura se traduz na naturalidade de nossas ações porque a Alma dissolveu todo o medo de ser.

O meu ser está radiante de
ternura.

O ANJO DA COMUNICAÇÃO

Quando encontramos alguém e nos conectamos com a sua luz interior, permitimos que a mais fluida comunicação aconteça. Seja com palavras, com gestos, com um sorriso ou através do silêncio, a comunicação que surge da Alma irradia interação e sincronicidade em nossa vida.

Expresso claramente no mundo a
voz e a sabedoria do meu coração.

O ANJO DA SÍNTESE

A síntese é uma qualidade-chave para os tempos futuros. Pensar positivamente é muito importante para compreender o significado da síntese em nossa vida sem nos aprisionarmos ou nos tornarmos vítimas dos acontecimentos. Desse modo, estaremos abrindo caminho para a intuição que nos põe em contato direto com a sabedoria interior, ao mesmo tempo que torna possível a ocorrência de uma extraordinária sincronicidade em nossas vidas.

Na luz branca da minha Alma,
vejo a síntese do que sou.

O ANJO DA FORÇA

Uma grande força começa a emergir em nossas vidas quando reconhecemos que segurança e felicidade são qualidades da Alma. Nossa força reside em permitir que essas qualidades fluam através de nós, dando-nos a habilidade de seguir adiante com uma profunda segurança interior.

Minha força é ser capaz de ser eu mesmo todo o tempo.

O ANJO DO AMOR

"AMA AO PRÓXIMO COMO A TI MESMO." Quando o poder de cura do Amor flui em nossas vidas, transforma velhos hábitos e crenças, ao mesmo tempo que nos protege e vitaliza todos os que nos rodeiam. Tudo é por causa do Amor.

Quanto mais aprendo a me amar,
mais sei amar aos outros.
O amor é minha razão de ser.

O ANJO DA PAZ

A paz é um acordo interior com a serenidade imperturbável da Alma. Isso traz um sentimento que nos inspira a não causar danos e ofensas a qualquer criatura no Universo de Deus. A verdadeira paz transcende a compreensão humana e sintoniza todos os seres com a harmonia universal. Quanto mais nos sintonizamos com a paz, mais radiante se torna a nossa vida.

Eu sou a Paz Infinita.

O ANJO DA LUZ

Se nos encontramos no escuro, não iremos conseguir empurrar a escuridão para fora com as mãos ou com a mente. Para fazer desaparecer as sombras é preciso acender uma luz. Se entramos em contato com a Luz Interior da Alma, ela irá transmutar toda a escuridão. Visualize agora em seu coração uma luz que se expande e irradia calor para tudo o que está a sua volta. Sinta a luz se expandindo a partir do seu centro interior até que você se sinta como um imenso Sol de amor.

A luz divina de minha Alma flui
através do meu ser agora.

O ANJO DO PROPÓSITO

Quando sabemos qual é o nosso propósito, o trabalho da Alma se realiza da melhor maneira possível através do nosso corpo. Um propósito claro elimina todas as dúvidas, pois imediatamente identificamos aquilo que nos conduz à nossa meta ou nos desvia dela. A energia em nossas vidas é imensa quando uma clareza de propósito está sempre presente. Você sabe qual é a sua razão de ser?

Coopero alegremente com o propósito da minha vida.

O ANJO DA RESPONSABILIDADE

Responsabilidade é a "habilidade" de "responder" com os nossos talentos e capacidades ao que nos é atribuído. Ser responsável é usar esses talentos e habilidades para o bem de todos de modo alegre e leve. A responsabilidade só é um peso quando esquecemos de usar nossas capacidades e nos desvinculamos da energia espiritual que vem em nossa ajuda quando somos "responsáveis".

Minha habilidade em responder
está à disposição da vida.

O ANJO DA CURA

A verdadeira fonte de cura é o "Sol Interior", que se irradia através do nosso corpo com suas qualidades de amor e síntese, elevando nossas vibrações e de todo o ambiente que nos circunda. A verdadeira cura é saber que somos Um com Deus.

Sou um canal para a energia de
cura do Universo.
Eu permito que a energia de cura
de minha Alma flua através de
mim.

O ANJO DA COMPAIXÃO

O ser compassivo compreende o "outro" dentro de si mesmo com uma energia e atitude positivas, atraindo a presença da luz que revela a verdade e o amor que transforma e cura. Ser compassivo é ser igual e estar unido ao outro como a si mesmo.

Eu e Você somos Um.

O ANJO DO DESAPEGO

O maior ato de desapego é soltar o passado e as preocupações com o futuro e viver no momento presente. Quando fazemos isso concentramos nossa atenção e energia e não nos desvitalizamos com críticas, comparações e julgamentos. O desapego nos libera da culpa e do arrependimento, que são um grande desperdício de energia. No momento presente, não precisamos possuir ou perder nada.

Minha vida é perfeita aqui e agora.

O ANJO DA INSPIRAÇÃO

A inspiração é como uma chuva de beleza e graça que eleva nossas vibrações na vida diária e nos permite descobrir felicidade e alegria em tudo o que realizamos. Isso acontece quando abrimos nossos corações e mentes para a maravilhosa energia espiritual que nos orienta e abre um caminho em nossas consciências.

Meu ser está radiante de
inspiração.

O ANJO DA PURIFICAÇÃO

A verdadeira purificação se processa quando abrimos nossa mente e nosso coração ao Sol Interior, com seus raios de amorosa luz. Toda a energia que mantém a memória da negatividade se clarifica e, assim, purificamos ao mesmo tempo o corpo e a mente. Visualize agora a luz da sua Alma preenchendo todo o seu ser e purificando cada célula, cada átomo, ao mesmo tempo que se irradia para tudo à sua volta.

Banho-me na luz da minha Alma
todos os dias.

O ANJO DA UNIÃO

No cerne da Alma conhecemos o sentimento de união perfeita que nos inspira a compaixão por todos os seres. A força da união remove bloqueios e dissolve a indiferença. Quando duas ou mais pessoas estão unidas em nome do Amor e da Verdade, a energia espiritual se derrama em bênçãos e preenche todos com suas dádivas.

Eu sou um canal para a expressão
da união entre todos os seres.

O ANJO DA SIMPLICIDADE

Quanto mais nos sintonizamos com o amor e com a intuição da Alma, mais simples se torna viver. No nível da personalidade tendemos a complicar tremendamente as coisas; porém, quando nos tornamos receptivos à orientação interior, a vida se torna simples, clara e livre do que é supérfluo.

Minha vida é plena na
simplicidade das minhas atitudes.

O ANJO DO DELEITE

É importante saber relacionar-se com o prazer, com uma certa capacidade de trazer a luz para dentro de todas as coisas: ao contatar pessoas, no estar presente na Natureza, na fidelidade de um bichinho de estimação, em estar bem consigo mesmo. Deleite é um prazer que vem de dentro para fora e se relaciona com o que está fora de modo a torná-lo ainda mais luminoso.

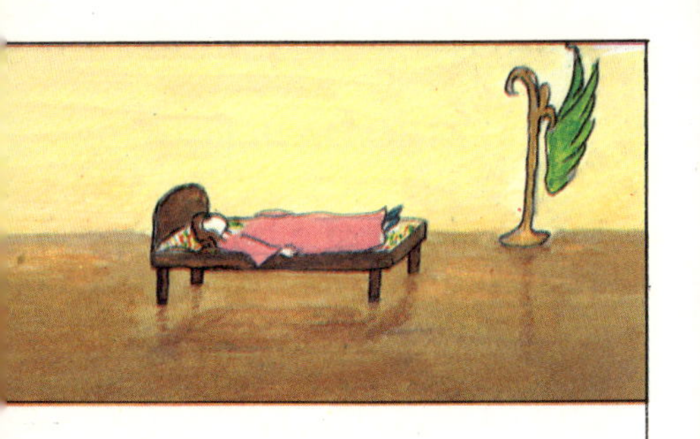

Eu estou bem! Viver é o meu deleite.

O ANJO DA BELEZA

Toda a Natureza é bela, e através de sua ordem e ritmo conhecemos a verdade de suas leis. Sentir o ritmo, perceber a ordem sagrada em nossa vida é ver a beleza em um grão de areia ou através da mais desafiante aparência.

Eu vejo o belo no espelho da vida.

O ANJO DA COMUNHÃO

Comungar é o sacramento da partilha, no qual o ato de dar e receber se transforma na mais íntima comunicação entre dois ou mais seres. Quem comunga participa de um único Espírito de Vida.

Comungo com a minha Alma no meu Templo de Silêncio e tudo me é dado por acréscimo.

O ANJO DA FRATERNIDADE

Ser fraterno é tomar consciência da unidade humana que formamos e do apoio mútuo que se torna necessário em nossas vidas. À medida que começamos a aceitar amorosamente as pessoas, abre-se diante de nós um novo caminho, no qual iremos encontrar a unidade e a harmonia maravilhosamente sincronizadas e atraindo as melhores situações para nós e para todos os que nos rodeiam.

Sempre aprendo algo valioso de
cada pessoa que encontro.

O ANJO DA GRAÇA

A graça é uma belíssima qualidade do Espírito que, ao se manifestar em nossas vidas, traz consigo uma energia que eleva os ânimos e desimpede o caminho. Estar em estado de graça é pôr em prática a certeza de que, se batermos, a porta se abrirá e, se pedirmos, nos será dado.

Eu conto com um milagre a cada momento.

O ANJO DA HONESTIDADE

O primeiro passo é ser honesto para consigo mesmo, e isso significa ser livre. Se, logo de início, em qualquer situação ou relacionamento, optamos pela clareza e pela honestidade, todos se sentirão confortáveis com a verdade e a congruência de nossos sentimentos e ações. Nenhuma clarificação tornase necessária posteriormente e tudo passa a fluir com beleza e dinamismo.

Quando sou honesto comigo
mesmo, sinto a segurança e o
apoio de minha Alma na minha
mente e no meu coração.

O ANJO DA CORAGEM

Agir com o coração. Toda ação que é inspirada por um centro de verdadeiro amor traz consigo firmeza e segurança inabaláveis. Ser corajoso é saber que o medo não oferece resistência ao amor.

Meu coração está aberto e pleno de coragem.

O ANJO DA VERDADE

Tudo o que é real e que tem existência está ancorado na verdade. Dez pessoas podem olhar para uma mesma coisa e vê-la de diferentes ângulos, porém é a totalidade e a integridade daquilo que existe que o torna verdadeiro, e não a forma como é visto. Somos seres cuja verdade está ancorada na mais pura fluência da energia divina; quanto mais permitimos que essa energia nos vivifique, mais a verdade se manifesta em nossas vidas.

"Eu sou o Caminho, a Verdade e a Vida."

João XIV-6

O ANJO DA FÉ

A fé é uma atitude que se revela no gesto de abrir-nos para a sabedoria e para o amor da nossa Alma. Essa abertura traz consigo a certeza que cura toda dúvida e hesitação. Quando caminhamos na fé, o universo nos apóia e descobrimos a força interior que remove barreiras e permite que a luminosidade de nosso ser se manifeste.

Tenho uma fé inabalável no poder interior de minha Alma.

O ANJO DA CRIATIVIDADE

O novo se constrói quando abrimos mente e coração ao poder da Alma e, conscientemente, permitimos que a energia criativa se expresse através de nós. Dessa forma, aprendemos que o poder criativo do universo está dentro do nosso ser e que podemos, com pensamentos, sentimentos e ações positivas, criar a nossa própria realidade.

O poder criativo do Universo está
fluindo através de mim agora.

O ANJO DA DISPONIBILIDADE

Estar disponível é ser capaz de usar a própria vontade com amor e sabedoria. O amor torna a ação voluntária por intermédio do coração; a sabedoria aponta a direção através da visão clara. Desse modo, estar disponível é felicidade completa.

Sou feliz! Minhas ações estão orquestradas pela minha Alma.

O ANJO DO HUMOR

É impossível ter um pensamento depressivo quando estamos dispostos a dar boas risadas. O riso pode ajudar-nos a olhar para a nossa própria vida de uma perspectiva nova e estimulante. Quantas vezes estamos levando a vida a sério demais e causando dor e sofrimento desnecessários. O humor torna as coisas fluidas, derrete o gelo e revela a verdadeira beleza de cada ser. Ria: é bom para o corpo e para a Alma.

As pessoas constantemente
apreciam o meu bom humor.

O ANJO DA SERENIDADE

Estar sereno é deixar-se fluir com as circunstâncias de cada momento, conhecendo e saboreando cada instante e sabendo que nada é permanente. Essa serenidade vem da Alma e é dentro de nós o único centro permanente que nos nutre durante o processo de compreender que os bons e os maus momentos da vida passam e fazem parte do nosso crescimento espiritual.

Vivo serenamente na plenitude de
cada momento presente.

O ANJO DA COMPREENSÃO

Quando compreendemos quem realmente somos, uma transformação total se processa em nossas vidas. Na luminosidade da Alma compreendemos que o verdadeiro conhecimento vem de dentro de nós mesmos e se transforma na verdadeira experiência do "aprender".

Compreendo tudo e todos porque exercito a compreensão em mim mesmo.

O ANJO DA CONSCIÊNCIA DE GRUPO

A consciência da Alma é abarcante e grupal. Nessa dimensão, não somos indivíduos separados, mas seres autoconscientes do nosso serviço à humanidade e ao planeta. Ter consciência grupal é responder à orientação que vem da Alma e estar sincronizados, no tempo e lugar certos, com as pessoas e a ação corretas.

Confio e atuo segundo a
orientação de minha Alma todos
os dias.

O ANJO DA AVENTURA

Quando surge o convite para a aventura, é hora de seguir adiante e abrir caminho para o novo, de fazer o que for necessário para cruzar a fronteira entre o conhecido e o desconhecido, trazendo riquezas espirituais sem preço.

Tudo em minha vida me leva a estar mais próximo de Deus.

O ANJO DO ZELO

O zelo é a manifestação do cuidado amoroso da Alma que traz consigo uma luminosidade especial a tudo o que empreendemos. Além de uma consciência de ordem e equilíbrio, quando zelamos por aquilo que nos é confiado, há também a atração de ajudantes invisíveis que começam a cooperar para o sucesso do que realizamos.

O cuidado amoroso com as pessoas, com as coisas e com a Natureza me enche de alegria.

O ANJO DO PERDÃO

Uma forte sensação de liberdade surge quando abrimos nosso coração para o perdão. O primeiro perdão é a si mesmo, pois somente quando sabemos nos perdoar é que aprendemos a aceitar cada pessoa como ela é. O maior poder de cura está no perdão que, com a ajuda da Alma, dirigimos às pessoas que nos tenham magoado. O perdão leva-nos a reconhecer a grande lei de Causa e Efeito no universo e abre nossa mente para a misericórdia divina.

Perdôo a todos, perdôo a mim
mesmo, perdôo o passado.
Estou livre.

O ANJO DA ABUNDÂNCIA

Aceitar amorosamente as pessoas e situações sabendo que aqui e agora tudo está na hora e no lugar certos, é ser abundante. Abundância não é uma grande quantidade de coisas, mas estar consciente da qualidade em tudo o que se tem.

Eu sou Vida Abundante e o Amor de Deus vive em mim.

O ANJO DA OBEDIÊNCIA

A única e verdadeira obediência é aquela dirigida à Alma. Dessa dimensão da nossa própria consciência procedem os sinais, as orientações e intuições a serem obedecidos. Quando obedecemos, todos os nossos sentidos estão a serviço da Alma.

Sigo diariamente a orientação interior que me vem da Alma.

O ANJO DA GRATIDÃO

É muito importante sentir gratidão por tudo aquilo que já conseguimos realizar. Olhar para aquilo que ainda não somos em detrimento do que somos aqui e agora é esquecer da maravilhosa fonte de energias espirituais que flui eternamente em nossas vidas. O sentimento de gratidão preenche o nosso coração e eleva as vibrações de tudo à nossa volta.

Agradeço e aprecio cada momento consciente da minha vida.

O ANJO DA COOPERAÇÃO

A cooperação é a verdadeira cura para a solidão. É impossível ficar isolado quando nossos talentos e habilidades estão a serviço da alegria de trabalhar juntos por um objetivo comum.

A cooperação faz parte da minha vida diária.

O ANJO DO EQUILÍBRIO

Quando o ego e a Alma trabalham juntos, há um fluxo equilibrado de energias através do nosso corpo, dos nossos sentimentos e pensamentos. Sentimos interiormente o equilíbrio e nos libertamos de limitações que possam estar em nossos corpos, permitindo que mudanças possam ocorrer.

Confio no meu equilíbrio interior e
permito que ocorram mudanças.

O ANJO DA HARMONIA

Estar em harmonia com o universo é viver pleno de alegria, de amor, de abundância e poder espiritual. Estamos aprendendo a viver em harmonia com as leis do universo e percebendo que somos parte da Natureza. Pessoas que vivem juntas em total e mútuo apoio abrem o caminho para que as energias espirituais dos Anjos fluam em suas vidas trazendo grande harmonia.

Estou vivendo em harmonia com
as leis do universo.
Estou criando harmonia a cada
instante da minha vida.

O ANJO DA BONDADE

A essência da bondade está em percebermos a rede entretecida e interligada que formamos com todos os seres, em todos os reinos, em todas as dimensões. A bondade da Alma nos inspira a cuidar amorosa e responsavelmente de nossos relacionamentos com pessoas, animais e coisas. Ser bom é perceber no coração a nossa total interdependência e agradecer a cada um por ser exatamente como é.

Sou uma fonte livre e
imensamente poderosa de vida
e bondade.

O ANJO DA ABERTURA

Quando nossa consciência se abre para a Luz e para o Amor da Alma, tudo em nossa vida ganha uma nova perspectiva. A Luz revela e ilumina tudo que ainda possa estar obscuro e duvidoso em nossas mentes. A presença do Amor dissolve o medo e nos protege, ao mesmo tempo que se irradia para tudo e todos à nossa volta.

Tenho a mente e o coração abertos
à Luz e ao Amor da Alma.

Apêndice

OS ANJOS E A HIERARQUIA ANGÉLICA CELESTIAL

Existe uma hierarquia angélica composta de Nove Coros Celestiais que recebem os seguintes nomes:

1 - Serafins
2 - Querubins
3 - Tronos
4 - Dominações
5 - Virtudes
6 - Potestades
7 - Principados
8 - Arcanjos
9 - Anjos

OS ANJOS E SEUS NOMES NA HIERARQUIA CELESTIAL

Os nomes dos Anjos na hierarquia celestial correspondentes aos Nove Coros, segundo a Cabala.

1 - Metatron
2 - Ratziel
3 - Tzaphkiel
4 - Zedekiel
5 - Kamael
6 - Michael
7 - Uriel
8 - Raphael
9 - Gabriel

OS ANJOS E AS PALAVRAS

Os Anjos são também chamados de "Grandes Seres da Música da Palavra", razão pela qual algumas palavras são associadas aos seus nomes:

METATRON: Propósito, Silêncio, Verdade, Amor, Irradiação.

RATZIEL: Sabedoria, Unicidade/ Unidade, Entrega, Purificação, Inclusividade, Síntese.

TZAPHKIEL: Compreensão, Clareza, Confiança, Flexibilidade.

ZEDEKIEL: Misericórdia, Compaixão, Abundância, Humildade, Ação Correta.

KAMAEL: Justiça, Discernimento, Transformação, Renascimento, Redenção.

MICHAEL: Beleza, Harmonia, Paciência, Fé, Equilíbrio, Esperança.

URIEL: Vitória, Força, Aventura, Desapego, Missão, Ressurreição.

RAPHAEL: Esplendor, Glória, Paz, Perdão, Fraternidade, Caridade, Cura, Sacrifício.

GABRIEL: Alegria, Educação, Comunicação, Graça.

OS ANJOS E OS DIAS DA SEMANA

Domingo - Michael
Segunda - Gabriel
Terça - Kamael
Quarta - Raphael
Quinta - Zedekiel
Sexta - Haniel
Sábado - Cassiel

OS ANJOS E AS CORES

Metatron - Branco
Ratziel - Cinza
Tzaphkiel - Preto
Zedekiel - Azul
Kamael - Vermelho
Michael - Amarelo
Uriel - Verde
Raphael - Laranja
Gabriel - Violeta

ORAÇÃO A SÃO MIGUEL

Hostes angélicas pelos Arcanjos lideradas,
Poderes celestiais e benfazejos.
Mestres da musicalidade da Palavra,
Grandes seres aos quais foi dada soberania
Sobre as esferas celestiais infinitas
Comandando os Querubins e os Serafins flamejantes,
Vós, Miguel, Príncipe dos Céus,
E vós, Gabriel, através do qual o Verbo nos é comunicado,
E vós, Uriel, grande Arcanjo da Terra,

E vós, Rafael, que ministrais a cura
para os que ainda estão cativos,
Guiai nossos passos enquanto
caminhamos
Em direção à luz eterna.

Eusébio, 200 d.C.

ORAÇÃO AO ANJO DA GUARDA

Santo Anjo do Senhor,
Meu zeloso guardador,
Já que a ti me confiou
A piedade divina,
Me rege, guarda, governa
e ilumina.

Amém

OS ANJOS GOVERNANTES DOS DOZE SIGNOS DO ZODÍACO

ÁRIES: MACHIDIEL
TOURO: ASMODEL
GÊMEOS: AMBRIEL
CÂNCER: MURIEL
LEÃO: VERCHIEL
VIRGEM: HAMALIEL
LIBRA: URIEL
ESCORPIÃO: BARBIEL
SAGITÁRIO: ADNACHIEL
CAPRICÓRNIO: HANAEL
AQUÁRIO: GABRIEL
PEIXES: BARACHIEL

Índice